U0064434

劉福春・李怡 主編

民國文學珍稀文獻集成

第三輯

新詩舊集影印叢編　第93冊

【呂沄沁卷】

漫雲

北京：海音社 1926 年 8 月初版

呂沄沁　著

【閔之寅卷】

春深了

上海：群眾圖書公司 1926 年 8 月初版

閔之寅 著

花木蘭文化事業有限公司

國家圖書館出版品預行編目資料

漫雲／呂沄沁 著　春深了／閔之寅 著 -- 初版 -- 新北市：花木蘭文化事業有限公司，2021〔民 110〕

160 面／68 面；19×26 公分

（民國文學珍稀文獻集成・第三輯・新詩舊集影印叢編 第 93 冊）

ISBN 978-986-518-473-5（套書精裝）

831.8　　10010193

ISBN-978-986-518-473-5

9789865184735

民國文學珍稀文獻集成・第三輯・新詩舊集影印叢編（86-120 冊）

第 93 冊

漫雲
春深了

著　者　呂沄沁／閔之寅
主　編　劉福春、李怡
企　劃　四川大學中國詩歌研究院
　　　　四川大學大文學學派
總編輯　杜潔祥
副總編輯　楊嘉樂
編　輯　許郁翎、張雅淋、潘玟靜　美術編輯　陳逸婷
出　版　花木蘭文化事業有限公司
社　長　高小娟
聯絡地址　235 新北市中和區中安街七二號十三樓
　　　　電話：02-2923-1455／傳真：02-2923-1452
網　址　http://www.huamulan.tw 信箱 service@huamulans.com
印　刷　普羅文化出版廣告事業
初　版　2021 年 8 月
定　價　第三輯 86-120 冊（精裝）新台幣 88,000 元

漫雲

呂沄沁 著

呂沄沁（1891～1974），原名呂雲章，女，山東蓬萊人。

海音社（北京）一九二六年八月初版。原書三十二開。

漫雲
呂 沄 沁 著

漫　　雲

呂沄沁 著

海音社文藝叢書之一

1926

目 錄

寫給亡友的信

小說

詩

雜感

寫給亡友的信

第一封

我最親愛的薔芳！

不知多少日子沒與你通信了，你怪我忘了你不？我想你是知道的，雖然我看不見你，你也許是常常來看來的，你既然能見着我，又何必給你寫信呢？就是寫了，教我向何處寄？唉！薔芳，薔芳！你眞忍心棄下你的好友麽？還是由不得你？但是我們的情感能因不能見面而變易嗎？——不，不，我每日腦子裏不知復現你多少次；所以知道你必是常常來看我了；不過你見着我了，得到安慰了，我如何能看見你呢？我向來不信靈魂不滅，因爲你的原故，有時也不能不改我的見解了；但是靈魂到底滅不滅，又教我從何處證明，不過聊以自慰就是了。人家說生離死別是最離受的，「黯然消魂者，惟別而已矣。」我以為生離是兩方面都難受，有時通通消息，還可以減去許多苦惱，得到許多安慰，……死別可就苦了生者了；有話也無處說，想念也尋不着一見，……薇芳！你說是不是啊？

自你那天早上沒及見我的面走了以後，就算永別了嗎？當時又怎能想得到？若是想得到，無論怎麼我也不上課。把你親自送上火車，也可以多聚會幾分鐘！唉！真做了功課的奴隸了。不過那時候學校太專制，不許北京無家的學生隨便告假，管我們像管囚犯似的，若是現在，怎能不和你作最後的握手？當我第一小時的功課完畢的時候，跑到病室裏一看；只有零零碎碎的幾塊紙在地板上，未服完的兩瓶藥水在茶几上，……我親愛的朋友不知到那裏去了！雖然看見這些的現象；仍不相信你已經走了；前院跑到後院，茶廳跑到校園……及至衕見侍

— 2 —

候病着的老媽子才知道你哭着，病着，冷清清的單獨的走了！第二小時的課你猜我聽見先生講的甚麼了沒有。喬芳，我的好友！當你病中通信的時候，又怎忍心把這些傷心的話告訴你？只想你好了回北京的時候再談，那里知道——

有一天夜裡反復展轉的睡不着，大約夜深三時的光景才勉強入夢：見你笑嘻嘻的走到我床前，我問你病好了嗎？你說：「好了！回來改入國文科了……」早晨起來歡喜的甚麼似的，急急的發了一封快信，問你是眞好了，還是我積思成夢？唉！誰知道我發信的第二天就得到你的噩消息；當我同胡君尚芳到茶廳的時候，經過內辦事處發信的地方，見從蘇州來的一封信，不似你的筆迹，心裡就亂跳起來，手也發戰，拿着信只是不敢拆，後來還是胡君代看的，喬芳，喬芳！你最後和我談的話，竟致我不能信了！

你託我的事都代辦完，與你母親通了二年信，後來去信總不見復，不知道老人搬了家；也不知道甚麼原故，所以只得中止了！力薄如我，怎能去找她呢？即便到了你的家鄉，又教我到何處去找？妹妹——你當不歎「人在人情在」吧？最可憐是她老人家不能自己寫信，所以弄到不能繼續着通信了——因為來信常說請人代寫不易！妹妹！你能原諒我嗎？

飄飄落雪二尺餘的一個禮拜六的下午，我冒寒踏雪的強辭舅母等回校，你泡了一壺紅茶，烤了兩張糖餅，孤單單的座在爐旁等我，見我從雪地裏跑進來的時候，你是怎樣的喜歡啊！我們烤着火，飲着茶，吃着餅，談着笑話……又是怎樣的神情？後來我們到院子裏，把雪掃在一處，作成一個雪小孩，在他的腹中點一枝蠟燭，照的牠的心顯格外的光明！雪是年年有，爐火照樣的紅，那個禮拜六同玩的人那

—4—

里去了呢！妹妹！還記得不？

每個禮拜六的晚上，我們交換着篦頭，我怕你累著，教你少篦一會，你就說：「現在這個頭是我的了，你不必管吧！」我回過頭來對你笑笑，你也微笑向我作個怪樣子，引的笑得抬不起頭來。這樣的情形清清楚楚的在我眼前；可是灰塵眯目的北京，「你的頭」也得我自己管了；不過不忍在禮拜六的晚上篦就是了！

我向來人家待我好，只有心裏感激，從不輕易說謝，你忘了嗎？一個春假的期內我生病，你也在病着，學監先生教我到醫院，你悄悄的對我說：「先生若陪你去，回來可謝謝他呀！」這樣小的事你都關心到，可見你對我的注意了。不惟學問上切磋，行為上的勸勉。…………精神上的安慰，真是不能說，也不忍說了！我們純粹的「友愛」不知甚麼原故造成功的？現在你竟先我而死了！你竟先我而死了！

你送我最後的那張像片，我用珍珠梅舖在你的腳底下，清香的丹桂放在你圓圓的面前，右手邊一朵很小含苞的玫瑰，左手一朵碧色如玉，不知名的花兒，……總之，大大小小，疏疏密密，把你用花像彩雲一般的圍繞起來，我這枝拙筆，實在不能詳細的告訴你，因爲我不會描寫，等以後寄給你看吧！若你能來，就自己拿看，在我書案邊，許多精美的畫片的裏面，不過恕我不能親自遞給你。

越寫越寫不完；但是大家都睡下，我很害怕！不能和你細談了！

敬祝你長眠永不醒的快樂！

沄沁十三年，十二月，十七日

— 6 -

第二封

我的朋友喬芳：

前幾天給你去的信，你究竟收到了沒有？第一句話不由我不問你；但是又何必問呢？要寫甚麼就寫甚麼，你是決不會和我爭論的，也不會不同意的，…………不過朋友通信要不要爭論，同意是不是義務，又不能不疑了。我以爲理愈爭愈明，好朋友的意見不必縫合，能够「和而不同」，才不失各人的「個性」。因爲事事求同，不免生出牽強附會，虛僞遮飾，…………的弊病，你以爲怎樣呢？唉！你總是不答我，致我從那裏知道我所說的話你願不願聽，錯誤不錯誤?!自己寫信，自己作答，未免太勞苦了！有時悶了又不能不給你寫信；雖得不到回信，總比惹人誤會，得罪人………安慰的多。

星期的一天，我到東城一個學會去聽講演，忽然見着一個人，她是無錫人，和你說話的聲音一樣；我的心不自制的跳動了，不自禁的同她談了許多的話；知道她是從無錫才來北京，新與一位大學教授結婚。看她似乎很滿意；更教我聯想到你得病的原因了！記得你告訴我，那年畢業回家，有一天你母親不在家，接到你父親一封快信，裏邊一張男子像片，教你母親給你趕作嫁裝，你不是急得不知怎樣好，後來到底把像片燒了，念了一封改過的信給你母親聽，說你父親叫你們出來，及到奉天，挨了兩下打，分手到北京上學，還對我哭了一場嗎？是不是從那時，受寒，受氣，著急，………得了病就沒有好，好像是我還記得。早知一病不起，又何必那樣受苦?!喲，妹妹！我說錯了；因為想隨你父親的意思給你定婚，運氣好過着一個和你性情相投的

— 8 —

人，或者不至於死，雖那樣說，其實妹妹的志向我還不知道嗎？能爲奮鬥而死，斷不能做那樣的犧牲。妹妹恕我，現在對於一切的懷疑想。

鏡清不是被她兄嫂從學校，強拉回去出嫁了麽？現在已有了四五個小孩，她那嫩筍般的手，變成乾枯縐紋的了，紅潤的兩腮，已成了蒼白的顏色，……聽說他丈夫常常打她，她也不常出門，偶然來我這裏一次，精神也不像從前；不過她總說我們二人是她親妹妹似的。我見了她就難受；更想到你。

妹妹你不是知道我和一位姓姚的也不錯嗎？你死了第二年，她從中學畢業回山東，就縣立小學的事，校長的職務就够忙的了，還要處理一個家庭，今年又生了一個小孩，不怪她朋友都不理，實在精神太勞；不過我又失去一個朋友！（並不是和她絕交，實在等於絕交了。）

男女人格平等，社會公開，婦女解放種種好名詞，妹妹幸而未趕上，不然你能喜歡的瘋狂了！因你平生最喜爭論這些的；倘你親見這些文明人，聽這許多文明話的時候，就知道可喜可悲了；不過進化是漸漸的，怪現象是不免的，也沒有甚麼可喜可悲的定論；惟身當其衝，又有知覺，不能無所動於中就是了，就我所知道的與妹妹閒談，也是你去後才有的事實。

五四運動以後，號稱覺悟的青年不少，因社交公開，男女可以交際，由交際而談戀愛，由戀愛而言婚姻，這本沒甚麼不合理；但是習慣的魔力太大，思想雖新，行為還是照舊——固然也有例外——因「機會」不易得，僅認識了一個異性的朋友；就彼此監視着，誰也不許再交第二個異性者，强作感情，弄到結婚，或因性的衝動，發生關係；遂號稱戀愛；過幾時有了別的機會，一方面感情忽變，那一方面自名爲失戀者，或竟自殺…………其實不過機會的得失，初見時就未及察及各人的性情…………等的同不同，無怪近來失戀的人之多了。

我一次到一位男朋友處，遇着他的朋友，他的臉立刻就紅了，未坐下就走了，像難爲情似的；其實男女都是人，有甚麼可羞？他僅臉紅，或因爲不慣見生人，不過跑的那樣快，眼神中的意思，一定疑心我和那位朋友有非友的關係，他係受過高等教育的青年，還以爲男女的交際僅及婚姻問題嗎？我不敢這樣猜想；但聽着的，見着的…………又不能不懷疑。我以爲婚姻應當自由，戀愛也是人的本能，不移的眞理；但不能與友愛混而爲一，更不能見了男女在一塊，就認爲夫婦，指爲戀愛者，若是家族的觀念那樣深，社交的範圍這樣窄，已結婚男女社交權豈不剝奪了嗎？不想結婚的男女就不必社交了嗎？妹妹！我眞如迷失了路的赤子—在大沙漠中蹣跚着，徘徊着，…………不知甚麼是社交了。

妹妹！還有一件事告訴你！有天上課，有一位先生說；他的朋友告訴他：「到女學校教書要謹慎，不必太認真，因爲女子求學，都是隨隨便便的…………。」我聽了慚愧的無處容身；要說句話罷，見他盛氣勃勃的，徒自取辱；況且——唉！妹妹，誰教自己學問這樣壞，又生爲女子呢？天地雖大，講「公理」的地方到底在那裡？！

總之，每天的見聞，多是些不平等的待遇，少同情心的人們，………怪男子嗎？不，女子中，受教育者，不覺悟的太多了！妹妹以爲我已覺悟了嗎？是，只知道了不滿意，感到了痛苦，…………還不如那些，一點知識無有的女子，有飯吃，有衣穿……………那些小姐呢！

夜深了，談來太無秩序，還沒將我所要談的，說出萬分之一，等空了再談罷。祝你長眠無夢！

沄沁　一二，二九，一九二三。

第三封

我的朋友喬芳！

今晚因看了幾點鐘的書，頭暈的很；躺在床上好久，只是反復的不能睡着；床邊的紅梅，一陣陣送來清香，精神因此更興奮起來，不能與你夢接，也不忍與梅友默談。燃着燈對坐多時，梅友到底不能解語，其實她領悟了我的深意，也表現不出來。還是和我親愛的妹妹筆談罷！

我和你那位同鄉眞有緣；前天又在眞光電影場遇着她了；隔着三四排椅子，遙遙相對！當我回過頭去偶然一瞥的時候看見她，她不過眼神裏帶出一種認識我的表示，我也不過微笑笑，其實我那一笑，比哭還難受呢！倘若是你在那里坐着，看見我一定像飛鳥般跑到我面前，握着我凍冷了的手，靠着我坐下，低低的，輕輕的，……密談，電影裡的情節雖苦，我也只感到快樂了；但是，妹妹究竟在那裏呢？她終歸是一個見面一二次，沒感情的一位認識人能了！

電影完後，我恍恍惚惚走出來，一位朋友替我僱好車，坐上就先走了。我本想散後約她們到家吃飯，但她代我僱好了車，我沒開口坐上就走了；及到家才想起對她太冷淡了，當晚她必難受，因為她也是我的一位好朋友，可惜我們三人不能在一處同玩！她對我很好，我也不是不知道，不過我的性情一天孤僻一天，常常冷淡的朋友難受；有一次她竟哭起來，問她只是不說，同學校作了一首〈臘梅歌〉，第二天我看見了，也戲合一首，我們都沒作過歌曲的，不過鬧着玩，寫在下面，妹妹有興合我們一首嗎？唉！妹妹就是有興合了！我又怎能知道?!

梅歌

挽波

臘梅花
朵朵鮮，
群芳謝盡獨出艷。
不怕雪，
不怕風，
只怕暖烘烘。

（其二）

傲慢枝兒，
睥睨着，
世人避你，
我獨友。

不怕你冷，
不怕你慢，
只怕來年無緣見。

合梅歌　　沄沁

臘梅花，
臘梅花，
不與羣芳賽榮華，
不怕涼，
不怕暖，
只怕凍死人的寒天，
灸人肌膚的太陽。

（其二）

人們說你傲，
人們以爲你慢，
惡你，避你隨自然！
我只憐你熱，
　不知你傻，
只怕明年見時
不是本來面!?

對花對人連自己也弄不清，妹妹看了懂不懂，一笑置之罷。
不多談了，盼你快來於夢中握手續談！此祝
長眠的快樂！

沄記　一，一四，一九二四。

第四封

我的朋友斋芳！

昨夜除夕，別人多守歲，我偏想早睡；剛剛入夢，就被鞭炮乒乓的聲音驚醒，反來復去直到天亮，我母親催着我起來過年，只得起來了。接着親戚們高高興興的來了；恭喜，恭喜，……叩頭，叩頭，……的鬧個不清，我只是對他們笑着，送些糖果給他們吃，抽空把我屋裏的花草搬出來，一盆一盆的用噴壺代牠沐浴，一點鐘的工夫，那蒙滿灰塵的花葉，都抖擻起精神笑嘻嘻的對着我了，牠是如何的清潔，我是如何安慰呵！妹妹！你為甚麼不來幫我的忙代牠沐浴呢？

我們卅晚自製花片的事你還記得不？今年在京求學的朋友多半出京了，就有一二位親近點的朋友，她們也都有比我好的朋友同玩，我又何必去約她們，自討無趣？倘若是你活着，一放假立刻就到我家裡來了；但是你現在到誰家去了?!

唉！旣見不着你的人，又夢不見你的影子，心裏的滋味眞是說不出來，可恨的魘魔呵，爲甚麼不教我睡呢!?

泣泌　舊歷元旦

第五封

喬芳！

前日給你的信說；我在京的朋友很少，覺着很寂寞，誰知我現在，不，暫時的好友慨然的來了，她來時的精神分外的清爽，身體輕快了許多，捨去煖烘烘的火爐，拿着候帚把她迎接到花田裡的屋子去，——因我不趕快迎接她女僕們就要作踐她，弄汚她的素白的衣裳了。

正當這個時候我的舊同學胡君，宮君，先後來與我賀年喜，遂相約同到公園裏去，那位好友也緊追錢隨的不離左右；因她們都有戀，我不忍離我的好友太遠，所以她很容易接近我，給我戴了許多花朵，大衣上也着滿了鮮花，被他們看的難爲情，臉也發紅了，宮君說：「

你與你的好友親近就親近能，何必臉紅呢。」我越發難爲情，一句話也答不出來，只是望着她們傻笑。

兩手攙着我的好友，跑到最高的一座山上；只見小橋，池水一色；蒼松，古柏皆綠滴滴的衣裳，石山曲路間凸的花樣新鮮；遠樓近屋雕琢的玲瓏恍目。

胡君說；我們照一張像能，但是照像者怕我的好友不願給我們照，後來我說你不必怕，只照成個影子就得了，好壞都要，他才答應了。我們快快樂樂的跑到小池的旁邊，山石的後面，我高高的舉着我的好朋友，也給她戴上一枝松花。蕎芳！你當時在那里？看見我們沒有？你羡慕我的福氣不？

蕎芳！你不要嫉妬阿，她不過是我暫時精神的安慰者，天熱了我就與她疏遠了，那能像你時時在我面前復現呢!!但是她與我分別幾月

—22—

仍舊可以見面，你呢？不過幾月後的她，未必是幾日前的她，幾年後的你是不是幾年前的你？但是我又何嘗是永不改變的我？雖然大家都不能保持着永久的本面目、總是有個會期賴有希望，有安慰；不過我們見面時我那位好友又常永別，像你一樣的與我永別了。

夜深母親催我睡覺了，願我們夢中相見！

沄沁，二，一一，一九二四。

第六封

喬芳！

今年寒假裏我的朋友出京了許多，那位自然的好朋友——雪」來了兩三次，好像是來安慰我似的，她都這樣體諒我，你爲甚麼那樣忍心呢？不但不和我握手面談，連個夢也盼我作不成！喬芳！你向來不是這樣很心的人，難道離遠了感情就冷淡了麼？相別這樣久要一句和我談的話都沒有嗎？有的朋友說；『好是好，不一定注重形式、精神能瞭解不通信也可以。』眞好的朋友，致佢們分別數年，不通一封信，得不到一點消息，果能情感不改（心神慰貼嗎？）果能積年的話，一朝言盡嗎？喬芳！你從前一日不見我的信，就迭發快信，不知怎樣問，怎樣說才好；但是現在教我向何處寄快信，問消息呢?!

在這個寂寞的時候，幸有一位異常貪玩的表妹從天津來；她喜歡鬧戲，我願意靜談，她願意早睡，我獨自看書，有時陪母親同她出去玩玩；不過太熱鬧的地方與我很不相宜，歸家後常感煩悶，倘若有你安慰我，一定快活多了。不過母親和表妹都很愛我的，因爲嗜好不同；所以她們不知道我的苦惱，我很能諒解她們；但不能不念妹妹。

近來我的性情似乎改了，以前以爲可氣的事，現在反覺可笑，遇着甚麼合意的事固然喜歡，不合意的事也不過笑笑；因爲那天落了一日的大雪，積滿了山谷，蓋遍了道路，成了一望無際的水晶世界，但是太陽一現，仍露出萬物本來的面目，污穢不堪的面目。人生亦不過如此；將生死的迷夢打破，名利的虛榮看透………又何必相信世界是可以刷洗清潔，人生是可以讚美的，也不過瞬息間，像雪一般的消失了就是了。

今天身體很不好，所以談了些無秩序的消極話，不敢再續談下去了。此祝

無限的長途平安。

沄沁二，一四，一九二四。

第七封

濡芳！

假期原是休息的機會；但是我反勞倦的很；既不能怪自己，又不能怪別人，我只不滿意那半身不遂的社會制度，與自己的環境。尋快樂，找安慰，…………但終於病了；正患病的時候，表妹偏又要離開我；因他在父母面前求的假期已滿，不敢多留了。

我原擬送她到天津；因病的緣故未能，她躡出房門的時候，眼圈一紅，我也不知怎麼一言不發的竟先跑到門外上車去了，送客反到先行，恐怕也是我創造的禮節！一路狂風，已够使人神迷；更看見嗚咽繚繞的青烟，是如何慘淡的景象啊!?一個鐵心腸的工人，拿着鈴偏很響的從我面前搖過，所以我不敢抬頭去看隔着車窗的表妹了，因爲她如小孩子一般，常常喜歡哭的。

像我這樣的怪性情，還有人願近我，常得到許多的安慰，我的朋友待我都好，我每感到對不起他們，自己不近情理的脾氣發的太多了，喬芳！你說是不是？你病危時叫我去，盼我去，終歸未去，就可以証實我對朋友的冷淡了罷?!雖然如此，你們仍能原諒我，親近我，這或者是我的幸運？

人們的離合，有時覺着很難，有時又驚其容易；分別多日的朋友，一個一個的都回來了，使我正患病的弱者，不能不感着驚喜；喜的他們回來了；驚的這樣一個長假又隨波逐流的過去。三分考卷才作成兩分，還不知結果如何，先生未看，自己先感着不好了。喬芳！你常知道我向來不願作我不願的事；更不願任何人逼着我作事，我相信勉強的事終得不到好結果的，得到了也是無價值的。但是天下的事，不願意的，終是多於願意的；不知能不能將不願意的，當作願意的作去？

今天想談的話很多，可恨病魔太親近我了；要和你繼續談下去也不能了。此祝

病魔永不敢近你！

沄沁二，二〇，一九二四。

第八封

喬芳！

暗淡慘黃的天氣，分外增添人們的愁緒，不由不和你談幾句話；人生原如游戲；但成人和赤子的游戲不一樣，赤子每日游戲而不知是游戲；不知道游戲而游戲，乃是真游戲，成人常煩悶時尋消遣找開心，名爲游戲，其實是僞游戲，失了游戲的意思了。我也是成人的一個。現在既覺悟了，所以要收回我的（天真），過我真游戲的生活了。

讀書讀的疲倦，默坐忘了就寢，夜深剛剛入夢，恍恍忽忽的走到一處荒涼寂寞的曠場裡；手中好像拿着平日很喜歡的一個風箏，隨着徐徐的清風把她放起來了，漸飄漸高，風力越增加，像我這樣無力駛軟的手腕如何能捕得住?!她一點不顧念的在空中飛翱起來了。她若一直上升，當和那些白雲，彩霞……作良友，若降下——被自然偉大的吸力吸到海洋的中心裏，就不免和那些金光閃閃恍目的魚蝦爲伍了，她倘能忍耐勞苦，飛還她可愛的故鄉。是我所最盼望的。但是，她的自由，我又何必知道，不過論友誼，不能不有動於中。我不自主的，望着那些流水般的行雲，不住的喚我的小友！她竟我離開了，她的影子漸漸的從我眼簾中消滅了！我只有祝她登天，過着比我好的伴侶，更不敢大聲的喊叫，恐擾亂了她的歸心。(人之多言，亦不知畏)，儍子似的站着，不顧行人的注視。惟有忍淚吞聲，不去追趕她，恐爲情感妨礙他無限的前途！……一陣難受醒過來了，原來靜靜的躺在牀上，仍是我入夢前的情形！不過窗外的風聲較大，淒涼的月影射到牀前。

薔芳，薔芳！我此時的思想好像似含苞同花兒，而將開，而凋零

……！落了滿地紛亂的花瓣，很想把牠收拾起來，送到一處深山的幽

谷裏埋葬了，永不被世人知道，但是能不能呢？可惜我無一種信仰，

若有，我當高呼上帝救我了！

沄沁 二三，三，一九二四。

第九封

蔚芳！

這幾日心情不安靜的很；思想總矛盾着：一會兒覺一切的事物都是虛無飄渺的；一會兒又覺甚麼都是有意義眞實的，所以有時想着退學，避世，或者漫游，…………有時又要努力，競爭與奮鬥，…………不住的，不住的交戰着。妹妹！你當能原諒我這樣病態的心理罷？

我知道環境與人們的影響很大；每天奔走於灰塵迷漫的道途中，過着那不自然的單調的學校生活，精神已够苦的了；回家又爲老母呻吟的聲音，你說還能安心讀書不能？我自知並不孝心，——也不願要個孝女的虛名，——不過母女天性中的愛是不能自知的。平日因年齡知識的不同，常常和母親意見不合，不知爲甚麼她呻吟的聲音足以使我心跳，慌亂；看書看不下去；吃飯吃不舒暢；甚至夜裏也睡不着了。妹妹！你是知道的，我也有兄嫂，及姐姐的，我們很客氣來待打過架吵過嘴的；但是伱們不和我通信，小小的原因不過爲我儘着求學，不在家鄉受伱們的支配，多費幾年的學費；但是手足之情就這樣淡薄嗎？記得有一次我到東城一個學會去聽講演，同學劉君和她父親也去了，散會後，他爸爸的牫着，他對她那種親愛的樣子，使我呆呆的立在馬路上想我未曾見過面的父親，三個，五個，二個……的從我面前過去，漸漸的寂靜了，我終未構成父親的影像。我並不是想受父親的保護，敎訓，……因爲常聽人說我父親是很慈愛的，他若活着一定比劉君的父親還能痛愛子女。至少我母親也有人陪伴了、聽說伱們倆的感情是很好的。父親的疼愛今生是得不到了，兄妹間的愛或者能夠復課；所以恭恭敬敬的寫一封信給我的長兄，一方面給他賀年，一方面告訴他我母親的近況！唉，妹妹！你猜他回不回？一天，一天，……的盼望，到現在幾個月了，一個字也沒見着；前天我看見李君兄妹相親相愛的情形我幾乎當着大家哭出來；——不過終於暗暗的咽下去，還是對着他們縱談，狂笑的鬧了一陣送他們走了。我不知爲什麼從來這樣希望得到父兄之愛，恐怕太愚了吧？我相信你若是在我面前，決不至於教我這樣的苦惱；但是你到底離我多遠呢？！雖然這樣說，我並不是沒有好朋友，不過他們都有應負的責任，常常要離開我的，不和你能和我同志相守的能了。

妹妹，妹妹！我不能多寫了，母親呻吟聲很頻促；教人心裡煩悶極了！但是我又不願去睡，還是和你續談下去吧：

我總抱着生活一天算一天的主義，向來不去思前想後；但是今天不由不想了；我覺得所處的地位很危險，不知得一個怎樣悽慘的結果。我母親已經五十七歲，食量雖然好，但近來很多病，未必有多少年的痛愛我；倘若有個好歹，教我一個人到那裡生活，怎樣生活呢？自己的學問既不能獨立，仰人的鼻息，敷衍，倚賴……的生活又不能，到底做甚麼？兄嫂有母親還不理我，沒母親時更當將祖產全行收回不認我了，就是認我是伊的妹妹，我豈甘憑伊們生活嗎？不，決不！「」生活還是小事，誰問寒，問暖的，痛愛我呢？人間一切的愛我覺着都沒有母女之愛是眞的，我更不願承其他帶着假面具的愛。這樣孤獨的生活也不要緊，（做一天人做一天事），死於幽僻的山谷裏也好，葬於碧波千丈的海洋裏也好，……也好，我也不覺很慘；最不好的現象是近來我的精神太壞，飲食既減少，又常常失眠，連着看幾點鐘的書就頭暈不能支持，休息加倍的時間還不能恢復原狀，像這樣庸庸碌碌的生活着，實在沒甚麼趣味。

倘若不能將母親陪伴到老，她守了多少年的寡，精力全衰的時候無倚無靠，又怎麼的生活？她嘗對人說；（為我生活着），我又不知為誰生活着了！我常在閒時談勸她，（人生如游戲，誰也不知為誰生活着，該怎樣就怎樣，有甚麼可悲，可喜呢。）她終不能看開怎樣好呢？妹妹！你若在，我一定很放心的無牽掛了。雖然，你自己的母親還顧不得了；但是你到底有父親呢。總之，無論如何，我和我母親決不會同時泯滅，就不免經過一個很悽慘的路程，得一個極悲慘的結果。……妹妹！我不知為甚麼越想越怕，當這樣的深夜裏，教誰能安慰我呢？妹妹你來吧，唯有你能知道我，安慰我，……唉，我真失望了！只有病母的呻吟聲，窗紙花啦，花啦！………的響聲，久不聽見的笑語和諧話芳的聲音，終於得不到了！

沄泌西，七，一九二四！

第十封

蔚芳！

　　昨日下課，信步走到樓窗的面前；校園裏淡紅的榆梅，紫色的丁香，粉白的梨花，……………都盛開而放香了；我們那年所倚的一株梨樹開的花更多！恍恍忽忽總見你輕脆清淅的笑語蘇了；好像似有一個圓圓的兩腮紅紅的臉兒穩約在梨花叢中了，但是我才要跑去親近你；却不見了，竟是兩位認識她的面孔不知她的姓名的同學；她的右脇下伸過來，在那里密談呢！我只得輕輕的退後幾步，默默的靠着窗欄站住。我們以前爲甚麼不將全園的花下都站遍了？爲甚麼那株被我們站過的梨樹今年開的花分外多？去年冬日牠不是像別的花木一般的乾枯了嗎？牠怎會重發葉重開花呢？！

妹妹！我告訴你一點小小的消息，這個消息若在幾年前告訴你，你一定要拉着我的手哭的，我恐怕你害怕，憂慮，……也決不告知你的；但是你現在是要歡落的了，因爲我一步步的走近你了，你歡迎不歡迎呢？你能見着我不能呢？——不問怎樣，我從未得過的病是發現了；連日便血，精神非常頹萎；四肢輭的幾乎不能拿物，走路，……今日到學校上課，才上了幾層樓梯，而腿一酸，險些兒跌下，（幸虧是早上人少，不然被她們看見豈不笑我這麼大還不會上樓？））心裡這樣想着，緩緩的扶着樓欄……走到講堂，仍舊和她們說說笑笑如往日似的；我覺着病弱是無異和舊日那些女子走同樣的路的。甚麼（弱不勝衣）），（腰不盈握）），娜娜婷婷，……許多形容弱女子的字眼，看見是可恥的。我願意活活潑潑的做一個人、做一個（敢做敢爲））

—11—

的人，永遠保守住我的（童心），有生命一日（做）一日的事。因爲我還要做人，因爲我還有（相依爲命的慈母）；所以我又不敢就走近你，恐要走近你，不免距離我的母親遠了；但是我的病容易醫好不能，到底是親近你還是親近母親，自己也不敢定，不能定了。

沄沁 一八，四，一九二四。

第十一封

喬芳！

久不寫信的原故不是我不念着你；因爲有一天我們的通信放在棹上，被蘭看見了，她勸我不要多寫這樣的信，當寫恐怕悲哀的情緒能傷身體，……我覺着終得不着你的回信，也是無趣的很，所以就止住了。那裏知道不寫信的苦更甚於寫出來？

每天碌碌朝夕，只感到單調生活的無趣，一時高興起來隨着朋友出去玩，但回家後更覺寂寞，或竟後悔起來。看書吧，更深夜靜的時候，母親不能陪我，被那蕭蕭的落葉聲，遠處的呼喊聲，……驚的心裏亂跳。的確，我的膽量不如從前了，倘若你在我旁邊，也許還是你的法泓，但是你不知到了何處去了！蔭芳！我何以感覺看世界這樣的無趣？喜歡我的朋友，當當怪我待他們太冷淡，我每日也不為看多少冷冰冰的面孔，到底是我冷淡，還是人們都冷淡呢？蔭芳！我心裏的難受是說不出來的，不是不可說，乃是我的筆代達不出來啊！

數月來戰雲密佈，槍彈炮雨，不知死了多少小民，多少老幼，婦孺，……………慘遭冷辱，受凍挨餓，……………輾轉流離死於溝壑?! 甚麼這黨興，那黨敗，…………光怪淋漓，千變萬化，無窮無盡，我何幸而生於今之世，何不幸而生於今之世！蔭芳！你與我有同感嗎？

昨夜月兒分外的光明，我遂早早的把燈吹滅，正在凝神聚思的時候，一陣狂風送來不少的落葉，忽然將我週圍的寂靜蕩碎，佇立於淡淡的清影下，傻子似的回憶，唉！落葉是何等的孤零呀，雖然牠有它作侶，憔悴失色的伴侶，漠不相關似的伴侶。

各路阻碍物很多，朋友的信來往不便；所以我久不得他們的信了；也好，免得我回信，也省了許多精神。——眞無味；甚麼是好友，甚麼是孤寂？親熱起來教人無法應付，冷淡起來如同路人，——不，仇人似的，此又何苦來？商芳！我願變作一塊石頭，一點感覺也沒有；我願變成湧泉，匆匆的流過生命的道路！

二，一五，一九二四。沄沁。

第十二封

喬芳！

星期休息的時候無意中發現你母親給我的信，你的影子又在我腦子裏復現了。你不要怪我無情不給你常寫信，也不和你母親通信：給你十封信從未接到你一個字；你母親已不知搬到甚麼地方去了，教我怎麼找得着她？有甚麼心情寫信給你？！真的，我為學校的事犧牲許多的工夫了，得到的結果滿意不滿意，那里有功氣細說給你聽！

前天晚上到車站送劉君往新疆去，你還記得不？她和我們同了二三年學，你看見她的時候不是梳的兩個小辮嗎？現在長大成人了，已經變成太太，你說快不快？可惜我們不能像那時候的聚會，喬芳！你到底跑到甚麼地方去了？比新疆還遠嗎？她去新疆我都難受，你呢？
你呢？！

眞巧快一年不見的王君竟在車站上遇着他。他還招呼我，打聽我搬家了沒有，我告訴了他，但未請他來玩，我爲甚麼請他呢？他若不在車站上無意的遇着我，怎能打聽出我搬家沒搬？第二天他竟帶着她太太，小孩來看我，偏巧我還沒回家，聽我母親說他太太敎給小孩催着他走，多好笑？誰敎俺們等着不成？本來朋友幾年不見面也是平常的事，像他那樣把朋友都忘了的人也敎我好笑，從前每星期來一次爲甚麼？現在一二年不見面，不通信又爲甚麼？我固然對他也不太親近，不過始終是引他是個忠實的朋友，這就是對不住他的地方嗎？蔺芳！他待我的確忠誠三四年不變態度。他結婚的那位太太還先帶給我看了然後定的呢。他問我（好不好），我只能說好，你敎我說甚麼？不過也很對不起他，她長的到還平常，但是看着很利害，並且帶些俗氣，我爲甚麼說她好呢？這就是兩性朋友不自然的地方了！也是我對他不忠實的地方。喬芳！你想，我既不願他在我面前多費工夫，爲甚麼教人家失掉一個好機會？不過，從此我知道男子對於結婚的性急，只要女子肯嫁他就得，甚麼眞愛，假愛？能嫁他的人他就願親近，不嫁他的就變成路人了。無論從前怎樣好，達不到他們的目的，立時疏遠，愛情，友誼，十有九是說着好聽的，喬芳！這是我們的不幸，也是我們的幸。我現在不能對於所有的男子都輕視，至少也看不起他的一多半，他們十人中懂友誼的有一個嗎？不但不懂友誼，眞懂愛情的也不看見有多少！

我這幾天頭痛又犯，你也不給我摸撫了！這是星期六篦頭的原故嗎？眞的，我有時說她也不願自己常篦，你呢？…………

二八，一九二五。沄沁。

第十三封

蕎芳！

（教育）怎麼講？是僱些潑婦拖學生流氓打學生嗎？我求了十幾年學竟遇見這樣的教育當局可怕呀，這個樣還談甚麼（育）字？

不但是拖，打，……呢；三月十八政府的衛隊還實行開槍打死好幾十個學生；我們學校死了兩個；那位姓劉的是今年暑假被他們拖過打過的，這次到底被他們害了！

我除了看過孫中山先生的屍蓋外一個死人也沒見過；更沒看見這樣慘死的了：當她的屍首抬回學校的時候，我先見着一塊一塊的血痕，一滴一滴的鮮血從白木棺裏流到地上，我怕了，心怦怦地跳動，不敢往前去；但是想到她們為愛國運動遭的慘死，自己不由的慚愧，並且勇敢起來了；跟着三四位朋友走到棺前去，呀！紅紅的兩個臉頰變成青白的了，笑嘻的口兒見不着了，只有三四個咬緊了的白牙齒露在外邊，衣上一片血，一片土，是個二十二歲的女學生麼？是我共過患難的同學麼？再不聽見她細細的語聲了，再不見她跑東跑西的請同學們開會了，……女子雖然不少，有幾個不是玩物，奴隸，……唉，她竟死了！！

你們早死早淸閒了，我這樣的人怎麼好？！想到這里心裡沈痛的很，不寫下去了！

三，二二，一九二六

第十四封

畹芳！

今天是我第一次送喪的日子，也就是我最悲哀的一天了。送的是誰不必我告訴你，你就知道吧？前次不是告訴你被殺人不償命的政府害了兩個同學嗎？今天才把她們送到善果寺去了！

如泉湧的熱血：

滴在地上，

染在棺上，

一條一條，……

一片一片，……

換來了——

哭聲，

歎聲，

笑聲，

罵聲，…………！

喬芳！愛國的結果就是冷僵僵的血屍躺在荒涼寂寞的寺廟裏！同學走了，朋友走了，她們的愛人也只得走了，唉，這就是她們最後的歸宿！起訴呀，報仇呀，豈不是一句空話，這樣冷冰冰的社會，豺狼似的政府，公理是甚麼？眞理何時才能實現？喬芳！你早死也就是幸福了！

三，二六，一九二六。

小說

她的母親病了

鋒芷自從得到她母親病的消息，終日猜度不知好了沒有？盼母親的信總盼不到，給她哥哥的信也不見復，真是上課無心，舉動也失了常度，同學都當她是有病，那知道她的心事呢！有一天她匆匆的吃了一碗飯，就跑到辦公室內的窗外發信箱前——因每天必得午飯後才發信——，一眼看見個鋒字，喜歡的甚麼似的！

鋒芷妹：

來信數封都收到，家中情形照常，勿念！母親自九月初患病，時輕時重，請醫診治，亦不見效，妹若告假來家最好，不能亦不必勉強，請自斟酌！此請學安。

兄希仁復十一月二日

雪芷坐在自修室裏一張椅子上，手中執着那封短短的信，傻子似的瞅着東牆，連珠的淚只在她的眼裡想碰出來。歸去呢？還是求學？告假吧，這個學期還能再回校嗎？功課補習起來……不走吧，家裡的情形難道自己還不明白嗎？平日嫂嫂是怎樣地對待母親？母親一個人病着，誰服侍呢？現在時疫流行，聽說因之病死的人很多。哥哥又沒明說母親得的是甚麼病？母親惟生我一人，倘有……那時還說甚麼求學！

「雪芷你忙着收拾書籍作甚麼？快上課了！」

「我要回家。」

「你為甚麼要走？這學期的功課最多，又到考期了，以後不容易補啊！」

「但是……我母親病了！」

你家裏不是有哥哥嫂嫂嗎？你這遠的跑囘去，到了，你母親還好了呢。」

「不，我不放心，必得囘去看看。」

「再見……再見……」

「再見……再見……」

悴芷在輪船裡，二尺多寬的一個吊鋪上躺着，有一只小小的黃光電燈，嵌在木壁上。油漆的氣味，一陣陣的送到她的鼻內，引起不快的反感。她默默的想：這個時候母親的房裡有人給她點燈了嗎？……同學們呢，正在自修吧？下火車時給她們的信，也不知收到了沒有？我走時不及和她們敘別，當不至於見怪？唉！知道能不能再見啊！……

……「白板」……「紅中」……「一條」，花喇，花喇……船中打牌的聲音不住嘈嘈雜雜的送到她的耳裏。她正想快快的到家，靜靜的撫慰着母親，那裏還顧得討厭他們。

「順天——明天不能進口，風又逆，霧又大，就是到口也不能靠岸。你們不信到船欄邊看看，風浪多麼大！霧有多麼重！……」

鐵索聲，機輪聲……一刻也不停。船身搖動，上上下下的速度越來越快；外邊的風浪越掀越起勁。幾日白米飯，先從雪芷口裡怪難受的嘔了出來；又是一轉黃水，綠水，苦水，後來吐出的水全帶黑紅色……幸而她心裡還有些明白，要水飲又不能不出舖伞；又像有許多話要告訴人似的；但是茫茫大海中，誰是親人？誰來聽你？惟爲止不住的，低低的喚了幾聲母親！

兩扇黑漆的大門關着，雪芷跳下轎，三步兩步跨過了十幾層台階；院子雖長，那夠她走呀！但是進堂屋——中間屋——她可不敢慌了；輕輕的掀起棉被，緩緩的走到病榻旁邊；心裡還是鬖鬖的亂跳，這次不敢高聲叫母親了！她母親灰白的臉向外躺着，花白的頭髮散滿了一枕，嘴邊糊着一條一點的乾血的痕跡，身上蓋一幅藍呢被，上面亂堆着些衣服……周圍的塵土竟積了有半寸多厚！

「你回來了呀—我的姪女？你母親真可憐！好一回壞一回，多麼受罪啊！一個親人也沒有在眼前！」

她微微點點頭，帶一種苦笑，搖手止住她那位族嬸的話。等了幾分鐘的光景，她母親才從半睡的狀態裡醒過來，慢慢的睜開眼，發出顫動的語音：

「噯喲！是你呀！你真回來了嗎？……你？—

「是，我回來看看……」

「你一個人回來的？……誰去接你？」

「是，我走慣的路，不怕。路上很平安……」

她母親又閉上眼；從那深凹的眼眶裏忍着痛苦流出啞淚來！雪芷凝凝的瞅着她母親周圍那些塵土，挺直的站着，哭也哭不出來，且恐引她母親格外的難受。雪芷的哥哥笑嘻嘻的從院裏說着話進來了。

「你回來！路上走了幾天？母親的病醫生說不要緊。我每天總得來看一次。你嫂子家事多，不能常過來，玉芬——他妻——年輕胆小，不敢陪，老媽子前天同母親嘔氣走了。唉，真是沒法！你現在回來可好了。」

是！都是我不好，因爲不知母親病的這樣重！……嫂嫂們都好吧？我待一會就過去看她們。哥哥請坐呀！」

「我有事，還有客在那邊打牌呢，一會再談。」

她哥哥匆匆的走了。他族嬸似乎也看不過意，跟着告別回自己家裏去了。

雪芷用一塊濕濕的手巾，輕輕的把她母親多日子沒洗過的臉擦一擦，旁邊的厚土也略揩一揩，倒杯水扶起她母親嗽嗽口，喂着喝了半碗稀粥。然後將房裏凌亂無序妨碍衛生的東西沒精打彩的整理一番。恍恍惚惚的把她沉悶的身子坐在一個小小的榻上。

太陽落下去，夜的黑幕漸漸的把這屋籠罩起來。來探望的人都漸漸的散去！單剩雪芷和她的躺在那裏的病母。一枝微光的蠟燭閃閃灼灼的在桌子角照着。她手上的表滴答滴答……一分一秒的這樣過。一陣嘻嘻哈哈笑樂的音浪從前院裡透進她的母親病房的窗子裏來。那不是她哥哥嫂嫂和侯婦……消夜談天嗎？夜深了，寂靜了！她歪倚着一個枕頭，面對着母親的病榻；聽她呼吸一會急促，一會細緩……咳嗽幾聲又不吐痰，嘴裏模模糊糊的說些甚麼：

「你來了！……眞好！……去罷！……別氣我哪！…………哎唷，痛啊！……水！……唉……

雪芷趕忙悄悄的走到她母親跟前去看看，眼是半睜着，問一聲要水不要，也不答應，摸摸她的頭，像火一般的熱！乾着急，到那裏請醫生呢？……惟覺心裏隱隱的痛疼，周身四肢都戰慄起來，眞不知怎樣才能把那漫漫的長夜渡過去!?

日光晃漾着，把她遠房伯父家一位妹妹送來了——她是個未入過學校天眞爛漫的一個女孩子——

「雪姊！你可回來了？我昨天下午給嬸嬸煮好飯才回去，聽說你就來了；早知道多待一會多麼好。嬸嬸病了兩個多月，理也沒人理。大哥也是讀過書，出洋留學過的。不曉得怎樣現在只帮着嫂嫂們吸鴉片，一天比一天糊塗。本家來看看，大嫂還要說閒話，惟恐怕別人偷去她的東西。她旣知道東西好，爲甚麼不親自侍候病人？他們常常說：「你不過是個女子，進甚麼學校，讀甚麼書，小學畢業還不够又進師範：先人經營的遺產，多麼可惜，讓你每年多用許多。這次她母親要是……看她可靠誰？」你回來可好了，再不回來我母親也不致我來了。誰犯着得罪人？我若不是同你好，早就不願來受這些悶氣了。」

雪芷雖然握着她的手，看着她；但心裡正打算怎樣請醫生，怎樣調養，怎樣托人僱女僕……那里聽淸她那個妹妹一番的熱誠憤激的話？末後她停住了，雪芷才帶着微笑，表現一種感謝她的意思說：

「蓁妹妹！你不必生氣，我是很知道你的。東西，遺產，以後都給他們，那算甚麼，只要我母親的病好了…………

初雪

幻沁從朦朧中覺着時候不早，急睜開眼，見滿屋亮晶晶的，並感一些清涼意。拿過表來一看，七点才過五分。但伊身體好像比往日輕爽的多，遂起來預備上學。伊挾着一個粉紅色的書包，一步一步很快的踏着雪往前走。沉寂中惟聽見格止，格止，……脚底下響，像似雪與土談話，又像似叫屈。十分鐘後，伊黑黑的頭髮已變成斑白，致瑰色的圍巾上開了不少的花朶，枯枝殘葉也都穿衣戴帽了。伊忽然想起朋友的幾句詩來，於是一邊走一邊輕輕的念着：

北風吹，

彤雲密。

樹樹瓊花，樹樹雪。

我這枝兒這樣肥，

他那枝兒那樣白。

靜悄悄，

情脈脈，

一邊聽詩人的高歌，

一邊看畫師的墨跡。……

幻沁一年中沒有這樣高興，一連上了四五時功課，也不疲倦往常聽不懂的功課也懂了，沒趣味的科學也有趣味了。對於每位先生所講的話，一字，一句，清清楚楚，蚼到耳裏，深深的印在腦上。

這麼好的雪，與朋友到個清靜地方才快活呢！但是約誰去好呢。李君，王君伊們不喜歡雪，吳君是很用功，怎好躭誤他的工夫？雖有幾位好玩的同學；我又不願與伊們玩。……去年與我玩的那位朋友，自伊結婚後，久不來信；來信也不過是些客套話，那裏還是與我玩雪的伊！唉，去年的景緻，今日的現象，似同似異，引起人無限的感慨，無限的囘憶！爲甚麼一個人必得要玩？多與誰玩一次豈不多留一層痕跡，多聚一次多一番無趣。………伊不由的靠在一扇玻璃窗口，癡望那天上的行雲，空際的雪舞。………

「幻沁！你獨自在這傻子似的想甚麼？風從窗外吹進來，雪飄了一身，到底也應當多穿点衣服再出來呀！」

幻沁正凝神深思，被秀芷一叫，到嚇了一跳，囘過頭來，微微笑着說：

「秀芷：你怎麼這樣大雪跑來了？」

「我試來找你到公園玩去，你願意不？」

「我向來喜歡雪，沒甚麼不願意；不過今日同玩了，明年的雪天能不能同玩呢？」

「咳！你也太遠麼了，樂一日算一日，玩一時是一時；時間像箭一般的過去，人心是不停的變化，我就明年在京，想與你玩，又知你對我的感情似不似現在呢？」

幻沁點點頭，同伊的好朋友攜着手出了學校的大門。

幻沁秀芷兩個站在被雪蓋遍了的小山上：幻沁手裏握成一個桃大的雪球，從山坡上讓牠滾下去，伊也隨着牠跑，及到平地拾起來一看，已經有先前四倍的大！伊喜歡的了不得！喊着秀芷快來看！秀芷慢慢的一手握着掛縣的兩襟。走下山來，笑嘻嘻的對幻沁說；「你和我兜的甚麼？」「雪！」「雪甚麼？」「在空裏接的雪花。」秀芷把兜張開，見有許多的雪球！「你弄這麼些做甚麼？秀芷也不回答，拉着幻沁就走，經過一段木橋，挨近那池邊的短欄，面朝着一行古柏，拿出雪球正正經經的照準一株樹身一個一個的丟去。那株不幸的老柏，立時應起了好幾處。「秀芷！你爲甚麼這樣忍心？伊開那麼多的一樹花，麼的還不夠，何苦你再欺負伊？「喲！伊開那些花，多美麗！多快樂！伊何嘗怕麼？我不過加上点點綴，你反說我忍心，眞是好心不得好報呵！」

雪已不落，蔚藍色天空充滿了水氣，靜悄悄連個鳥鳴的聲音都沒有，若不是雪襯托着，早就全黑暗了。秀芷催着幻沁回去；伊仍戀戀不捨的情形、眼望着周圍改造過的世界，跟着秀芷信步的走去……

幻沁別了秀芷，自公園回家；經過一座古寺，遠遠只見一帶紅牆，黃琉璃瓦，都變成白玉。寺門旁鐵柵內，隱隱見一團灰黑的東西，蠕蠕的動着，等到近前才知是三個人湊在一塊！一個男子，約四五十歲，黝黑的臉，穿一件灰布上衣，一塊黑，一塊藍……的污跡，兩手抱着膝蹲在那裏，那個女子頭髮披了一肩，將那又黃又瘦的面龐，幾乎遮住。衣服破碎的不能知道原來是甚麼料做成的。有個小孩躺在懷裏發抖，口裏不住的喊他媽媽……幻沁在車上坐着，好像冷水從頭頂澆下來一般，雖早上雪落了一身，園裏玩了許久，也沒感着那樣寒！伊穿了兩件棉衣，想脫一件給他；但不知給那一個穿上的好？……

……無情的車夫，今天不知爲甚麼，如飛的跑過去了！……

幻沁沒精打彩的倒在床上，晚飯也不吃，默默的思想這一日的經過，快樂呢，還是悲哀？低低的唱一首「初雪」歌裏的幾句：感逝波，慢消磨。寒到君邊，寒到我。……

—74—

詩

月

柳眉般的月，
向着我微笑，
燦爛的一群星兒圍繞着她，
格外的莊嚴了。

★ ★ ★

古松蒼柏梢頭的月，
形如滿弓；
烏雲一片忽然將她掩蓋住了，
唉！
小小的一片雲兒她竟戰不過!?

★ ★ ★

夜半躺着看月，
花園緩步踏月，
水裡，樹間，地上，…………的月，
誰是眞月？
那個是我心裏所愛的月？

二，一九二三。

我生活中的一滴

慢步，慢步，…………

小院，屋中，園裏、

聽風聲——淒淒；

對飛鳥——無語。

緩緩的彎下腰兒；

輕輕的捧着一朵白菊；

細細的聞牠的香氣。

★ ★ ★

靜寂，靜寂，…………

汪汪的——犬吠；

咯咯的——雞鳴。

緊緊的閉着眼兒，
急急的要到夢鄉去。

一一，三，一九二四，

春風與碧水

悠悠蕩蕩的碧水，
飄飄颻颻的春風；
是春風吹動了碧水？
是碧水招來了春風？

一五，四，一九一五，什剎海

冷月下的的殘葉

月兒分外的皎潔，
　早早的把燈光熄滅；
是何處飄來的殘葉，
　蕭蕭不住的泣訴？

※ ※ ※

狂風忍心的欺殘葉，
　殘葉偏能驚碎了我的寂靜；
狂風時時有，
　殘葉可是去年的殘葉？

※ ※ ※

我愛明月，

又憐殘葉．
淡淡的清影下，
一夜伴着殘葉。
一一，一二，一九二四，夜●

自題小影

是蒼海裏的一粟？
狂瀾中的冷月？
幻影裏的曇花？

★ ★ ★

甚麼是身外影？
甚麼是影中身？
只縹渺的萍踪，
隨波上下?!

七，一〇，一九二三，

落葉

悲泣的落葉濺濕了我的衣裳，
　悄悄的拾起來想葬牠於清波裏；
那面一個游人注視着我，
　紅着臉兒又將牠棄於塵沙。

★　★　★

落葉你不必悲泣
　狂暴的風兒常常起；
　　看呀！
那不是飄送來你的伴侶？

一一，一四，一九一四。

母親

迷離間喊了一聲母親，
伸手摸索，怎不在身邊？
從夢中哭醒了，
黑暗的窗紙已變白了。

★ ★ ★

掃潔母親的被褥，
疊起換下的舊衣；
我親愛的母親！
你床邊的月季，
已芬芳了。

★ ★ ★

母親，見了母親，
我竟變成痴兒了！

颶風的一夜

嗚嗚颯颯…………的風聲；
不知——
把那些留枝未落的黃葉，
飄送——
到何處去了！
只有——
胆怯怯的
顫巍巍的
朦朧
慘淡的涼月
還懸掛在皓空！

一〇・二二，一九二三，二時●

水和石

幽僻的地方，
一片止水。
白玉似的一塊石頭，
忽然墮入水底。
起，起，漩紋千萬疊，
轉的我神昏眼迷。

✲ ✲ ✲

止吧，止吧，止吧，
水兒！
轉啊！轉啊，轉啊，
漩紋！

☼ ☼ ☼

可感泣的「水」石，
何必在我生命流中
着這一点痕跡？
唉！
恕我倦惰；
不能知水于止，
還是旋轉到底!?

七，一八，一九二三，夜。

送友

一路冷清清的殘月，
越聽越遠的汽笛
不相識的人們
忍淚微笑着散歸了。

✡ ✡ ✡

如沸的熱血，
失魄似的衣鳳、
欲入夢怎能入夢？

✡ ✡ ✡

臨別匆匆的一握
不由我心跳手顫了，

希望這是第一次的我們
第一次的接觸！

✡ ✡ ✡

能負重的勞車，
緩緩的走你凹凸崎嶇
……的路吧，
不要顧慮一切，一切！

八，二〇，一九二四・

—92—

雲語

採一朵自由的花兒對語：
山，川，湖，海——
都是我的故鄉；
東，西，南，北——
任意的翱翔；
雨，露，霜，雪——
終化成我的幻影。
展開我萬羽的雙翼——
遮護着那些田畝中的禾苗；
滴盡了我生命的血淚

潤澤在沙漠間的行人。

一陣一陣——

只聽見你悲苦的呼聲，

怎認不清你感人的戚容？

我們剎那間的相逢，

何必爭着萎殘？花兒！

一二，一三，一九二四●

—94—

告訴我的朋友

我們同賞的那些秋菊，
　含苞了，
　開花了，
已漸漸的萎殘。

去年希望多落幾次的雪，
　落了，
　早就落了，
但是我蒙着被兒睡去。

狂暴的波濤把橋梁冲斷；

西歸的雁子濃霧眯朦了眼睛！

一二，三，一九二四。

無題

狂暴的大風！
我未嘗招惹你，
為何只是——
飛沙揚塵的，
來侵汚我？

○○○

鮮嫩婷婷的秋菊！
我原加意的灌培你，
何以漸漸的——
萎殘凋零，
引起人無限的感傷！

○ ○ ○

和暖的晨曦！
送與人們驅寒的佳禮，
可惜挽留你不住——
昂然一步一步的走過去，
漫漫長夜的使者，
又近我了！

—98—

葉箋

颼颼颯颯的寒風，
迷迷糊糊的夢境，
三片素葉，
飄飄的從天外飛來；
仔細看！
一片書滿悲音，
一片點點滴滴的幽怨，
還有一片——
被欲沸的熱血
染成了珠砂一般！

※ ※ ※

是葉？
是花？
是果？
清氣？
香氣？
甘氣？
可歌！
可慰！
可泣！

二，二三，一九二三。

題Mary小影

是清晨的荷花？
是山裏的幽泉？
是林裏面的歌鳥？
瑪琍，我的小友！

※ ※ ※

蓮瓣似的小手
流轉自如的眼神，
天然的絲絨帽，
甜蜜蜜的小唇兒；
引得我魂飛千里了！

※ ※ ※

乾燥的大地，
你來潤濕了；
縹渺的衆生，
有了歸宿。
我愛你，更羨慕你。

七，七，一九二三。

送別

來去，來去，含了多少離情別緒？
你還須記得去年送振亞歸去；
你們握手相對，
眼淚汪汪的；
嗚嗚無情的汽笛緊緊的催逼。

✲ ✲ ✲

既有別離就必有聚會，
聚時快樂；
離時何必愁苦呢？

✲ ✲ ✲ ✲

去年今日送她；

今年今日送你；
你們洒淚，
我惟有微笑向你。

※　※　※　※

團聚，團聚；別離，別離。
多識一個人多一番憂思；
少知一個人少一番別緒；

四，一九二二。

—104—

秋感

日光一步一步的走過了花園，
粉白牆上桂樹的影子也漸消沒了，
寒浸浸的又須添加一層新衣。

※

夜鳴不息的蟋蟀，
那里去了？
頻泣不厭的夏雨，
似乎怕向冷森森的人間訴苦，
也停止了牠悲哀的淚珠。

※

颯颯㧘㧘的秋聲，

戚戚切切的情緒，
飄飄茫茫尋找牠們
一望無涯的歸路。

一○，一○，一九二三。

我的心太柔弱了

我的心兒太柔弱了，
經不得强烈的刺激，
只是願像長流的淸泉，
一步一步的走向西去。

※ ※ ※

我的心兒太柔弱了，
不能記德也不能記怨，
模模糊糊的像晨霜一般
過着日光消沒了痕跡。

※ ※ ※

風兒呵，你慢一點行罷！

雨兒呵，你徐徐的落罷！
刮的快了我的心戰慄，
落的急了我將要暈去。
我的心兒太柔弱了啊！

五，五，一九二四。

送友

我和你同去，
你教我獨回；
冷清清伴着我的
惟有綠柳和清風。

☼ ☼ ☼

胆怯不敢聞汽笛，
又偏要厭厭的回顧；
可惜生疏的面目，
竟遮斷我的視線！

★ ★ ★

日日相見，

還是常言寂寞；
兩月的闊別，
可能像那
流星般的渡過？

六，二五，一九二三。

游頤和園

一條線路，
兩旁垂柳，
波光蕩漾，
竟濺了我一身的清水。

☼ ☼ ☼

踏遍了蘇堤，
過着一處斷橋，
隔岸望花，
越急越跳不過！

☼ ☼ ☼

崎嶇的石山

一步一步的上去；
荆棘夾路，
拉住了游人的衣裾！

※　※　※

上呵！上呵！
努力！努力！
戰慄吁喘的身體，
飽覽了全湖的景色。

※　※　※

青松叢中映着絳色的彩雲；
一片一樣形狀，
忽聚，忽散，

雲呵！你不要變了，
我的心已是沈醉！

＊　＊　＊

鳳翠閒前的水，
分外清澈，
我與許君搖着小舟，
無一個朋友敢坐；
怕舟翻了嗎？
你們也太把生命看重了！

四，九，一九二三。

濃霧

模模糊糊的濃霧；
詐的我走了多少寃枉的路？

✡　✡　✡

慘淡暗灰的濃霧；
將我淚珠兒織成的
視線弄亂。

✡　✡　✡

忽湊忽驰的濃霧；
鬪的我覓不着歸船！

一，三，一九二五。

—114—

像片

我的朋友超君！
你寄我的像片收到了，
真誠的友誼，
我只得領受了！

＊　＊　＊

影裡的朋友，
雖不能快談，
竟得晤面了。

＊　＊　＊

朋友！
你也與我有同樣的感想嗎？

我也當寄一個幻影慰你嗎？

唉！恕我！

沒有那樣的勇氣啊！

＊＊＊

朋友像片的交換，

　有甚麼稀奇，

又何況我，你，她全部認識；

　唉，朋友！

我怕！！…………

落雪

似霧，似絹，似絮？
飄飄霏霏旋舞；
倘能冉冉不止她的纖步；
任人們如何的掃除，
　也露不出一點污迹，
　任人們如何的踐踏，
　　又怎能印成足痕？
蹣跚的癡兒，
　在那一望無涯的
　　水晶世界裡。

只顧游戲，
只顧游戲，
不暇問那里是歸宿，
不懂問那里是歸宿。

一二，一三，一九二三，

漫漫的良夜

漫漫的良夜，
是何處一聲聲的汽笛
遠遠的飛來？

★ ★ ★

寂寂的書齋中，
只聞得滴答滴答
不知休止的鐘聲。

★ ★ ★

默默的獨坐，
惟有一陣陣的
梅香暗暗的送來。

★ ★ ★

呼呼的風吼時，
那些大大小小的
書兒慰伴着我，
忘了一切的疑懼。

一，三〇，一九二五。

心翼

薄脆微弱的心翼！
任意飛翔於厚霧濃雲的空際，
盤旋於無涯的碧海，
徘徊於稀少踪跡的幽谷；
奏她自然的樂調，
舒暢她磈礧重積的胸臆。

★　★　★

朝夕不住的消磨；
一點一滴一片的融蝕。
冰解玉碎的時候
乃是她可賀可歌的息期。

一〇，二，一九二三。

雜詩

一

灰黑色的道路
我願兩步拼爲一步走！

二

縱橫的道路現在面前，
游人不知那條路上，
能飽覽美麗的景緻！

三

光明的道路還隔着重洋呢，
親愛的朋友涉着波濤過去吧！

一九，五，一九二五午後一時。

我愛

我愛温和誠實的言語，
我愛笑嘻嘻的面目，
我也愛和久別的朋友握手。

○○○○

我愛燦爛似錦的花園，
我愛蕩蕩不息的清泉，
我也愛明月和白雪。

○○○○

我愛的——但，
曇花似的謝去，
流水般的遠了；

我要見伾，
我要追伾
我到底是愛伾。

一二，二，一九二四

我覺得中國新詩有一個毛病，便是說得太清白，大約是胡適博士提倡時留下來的餘弊。我想，中國韻文可以無韻，但古來傳下來的所謂（（興））却似乎有點意思。近來新名詞裡所說（（象徵主義））也不外這個變相罷。（（興））不是比譬，只是一種（（不卽不離））的聯絡及暗示。詩經中例頗多，十九首：（（青青河畔草））亦可為例；如新詩中能運用此種筆法或能造成新的境界。不過這只是理論，要實行起來再看。

一九二六，四，十八。

乃是（（三月十八））之後一個月！

周作人附識

雜感

是生還是死？

學潮，國恥，……鬧的我昏迷的很！每日奔走，呼號，……仍阻止不了殺人的殺人；陰謀的陰謀，這還能說我是一個生人嗎？祇能說幾句空話，滿街亂跑一會，雖生也等于死。若說是個死人，爲甚麽倘有感覺，常常碰釘子？碰了就碰了，却又覺得很痛，難道果眞靈魂不滅，做人既不能「超然」，做鬼也還不能「超然」，少碰幾個釘子嗎？我懷疑，深深地懷疑：到底是生，還是死？

景宋做了一個夢，說我已經死了。死在她的故鄉的家裏；不但是死了，而且還有人肯吃我的肉，這是多麽可喜的一個消息！我常說：庸庸碌碌的生着還不如死；自殺嗎？沒有勇氣，——舍不得無人照管的老母，——但隨波逐流的活下去也太無趣味了，所以高起興來也做幾件搗亂的事，多數視爲不安本分的事。雖然被小姐太太大人，先生們目爲暴烈，……自己反覺着輕鬆些。好了，不能解決的問題解決了，景宋親眼看見我已死了，『痙攣了幾下就死去了』。果眞那麼容易嗎？多麼幸福呵，還死在她家裡，她默默地注視着。若這樣，我眞樂於死而不感寂寞了。

我常說：死的時候不必等的不能動的時候再死，尤其是我這樣的人。活够了，或者高興死的時候，不必因愛國，愛家，殉孝，……當悄悄的跑到汪洋裏去，游泳般的碧波擁抱而死。旣無親人，爲甚麼要那些僱來人來費手脚呢？況且像我這無勢無利的女子，未必有人肯發慈悲僱人來收斂呵。喲，多麼快樂，我竟死了！死在幾千里外夢想不到的景宋家裏，她還親眼看着我。景宋！你本不必流淚，有個地方死，死時又有朋友看着，屍體還有人肯吃，是怎樣可賀的事，可喜的事呢？我高興極了，我願當你夢中有用的死阿姊，不願爲你在校見着的活朋友！讓你保住夢中的印象，排去日裏的印象！所以輕易也就不找着見你。

荒年時大人吃小孩，強者吃弱者；現在中國平安的很．人們也進化的多，用工具吸收小孩們的熱血，伸出無限長的嘴吃弱者的靈魂。我何其僥倖而死在景宋家裏，只被他們吃我的死屍？可是我現在仍有感覺，不知道到底死了還是活着。

七月十日

臉子

我忽然想起「臉子」這個問題了，隨手寫點出來和大家見見。可惜我不是畫家，不能把佢們畫出；我的筆又太笨，也不能詳細地描寫。但終于不由得要寫者，只因爲想到臉子的有趣。

爲滬案募欵走到一家化錢如水的闊太太家裏，我素來就知道她是常打牌，看戲……很能化錢的，以爲一定可以募得許多的錢了。才進門她一眼看見我手裏的冊子，便立卽變了她初見時歡迎的顏色，換上一副冷淡的神情。當坐下想宣傳工人的苦況時，她却把臉仰的高高地好像屋裏沒人一樣，俺看了一會闊太太的臉子，好容易才走出了她的大門。

劉百昭八月十九日帶着軍警，打手，流氓等類到女子師範大學，我不知利害的還到校去開會，匆匆跑進客廳，看見夾雜在各校各界代表中間坐着的一個圓臉子——像蟹蓋似的——凶橫中帶着油滑神氣，不必別人告訴我，我就知道他能做出侮辱女生的事的了。好一個狡黠的臉子！到現在想起來，還不免要代藝術大學慶賀。

因同學舉我為學潮的交際員之一，所以看見執政府武官的臉子，教育部當差的臉子，各名流學者，大門的臉子，警察廳守門人的臉子；像那些檢煤球老媽子，……等等的好看而奇怪的臉子，更不用說了。眞是幸運，居然得看到了這麼多的不同的臉子！

一個人的臉子本來也不同，見了有錢的應當添上許多諂媚的顏色，叫作諂媚的臉子，報私弊自己不去犧牲而得到勝利，應當添上許多得意的顏色，叫作得意的臉子；見了有勢力的應當添上許多乞憐的顏色，這叫作乞憐的臉子；用着別人時是一副臉子、不用人時又是別一副臉子……。呵，人的臉子是奇怪的東西呵；人與人自然不同。時與時自然也不同；但就是同人，同時，同地，⋯⋯臉子又何嘗不會變換呢？！呵，有趣味的臉子！狡黠的臉！和奇怪的臉子呀！！

哭我的同學和珍

和珍，和珍！爲甚麼竟死了？眞死了麼？我那里能信你是死了！眞死了！

陰慘的天氣，雪豆雪花，打到我臉上，堆在我身上，我不知道濕，我忘記了冷，只是等着你從殺人不償命的地獄門前搬回來。我這里那里跑着，無目的地跑着，腦子裡不住的復現你：紅紅的兩腮，活潑的一對長眼，常常含笑的樣子好像站在我面前；但是想和你說話你怎麼不答呢？和珍，和珍！我無論怎樣設想也想不出你慘死的情狀呵！

問先生問同學，你甚麼時候回來，呀！你可回來了！沒見你的臉先看見血了；小白木的棺材上一塊一塊的血跡，我的心跳了，眼前發黑不敢去近你；但是總要看看你和樂的面孔，見最後的一面，鼓起勇氣跟着幾個朋友進去了。

白白的棺材一塊一塊的血跡，心又跳動了；但是我覺着不應怕你，同和黑暗勢力奮鬥的朋友呵！我看見你了！青白的兩腿，閉緊了的眼睛，上下的牙齒白白的露着，……衣上一條一條的鮮血，一片一片的泥土……和珍！我幾乎不認得你了！你的血爲誰流的？誰教你流的？我要哭也哭不出，只能跺兩脚，咬緊了牙齒，心絃痛疼，沉沉地不知牠上面壓了多重的東西！

我十分的慚愧沒和你同死，因爲我的病救了我。不過像這樣的黑暗世界那里找得着光明？雖然光明早晚是被我們找着，但我們總歸要犧牲了性命的呵！你爲救國而死，求光明而死……總比作玩物而死，自私自利而死，……好的多，有價值的多。早死也就早脫離痛苦了！

殺人不償命的「政府」說你們是赤化，是暴徒，……他們眞知道赤化怎麼講麽？暴徒還赤手空拳的請願麽？……可憐呀，寃枉呵；爲甚麽向豺狼口裏討生活？仇敵面前去請願？找光明反向黑暗地獄裏鑽，錯了，死的冤枉呀！未死的民衆當另找道路走了！另一條道雖一樣的要流血，到底代價比你們多呵！可憐的和珍！同時又感謝你給我們的教訓。

我的同學和珍！直到今日才能大哭出來；因爲他們要裝殮你，我們真要永別了，我大哭，她們也大哭；這是做中國學生的結果，有志青年的模範的代價。我痛哭，誰和我們同救危險的學校？誰和我們一同去爭女子的人格？患難與共的和珍，你到底有知無知？可能來告訴我一聲！

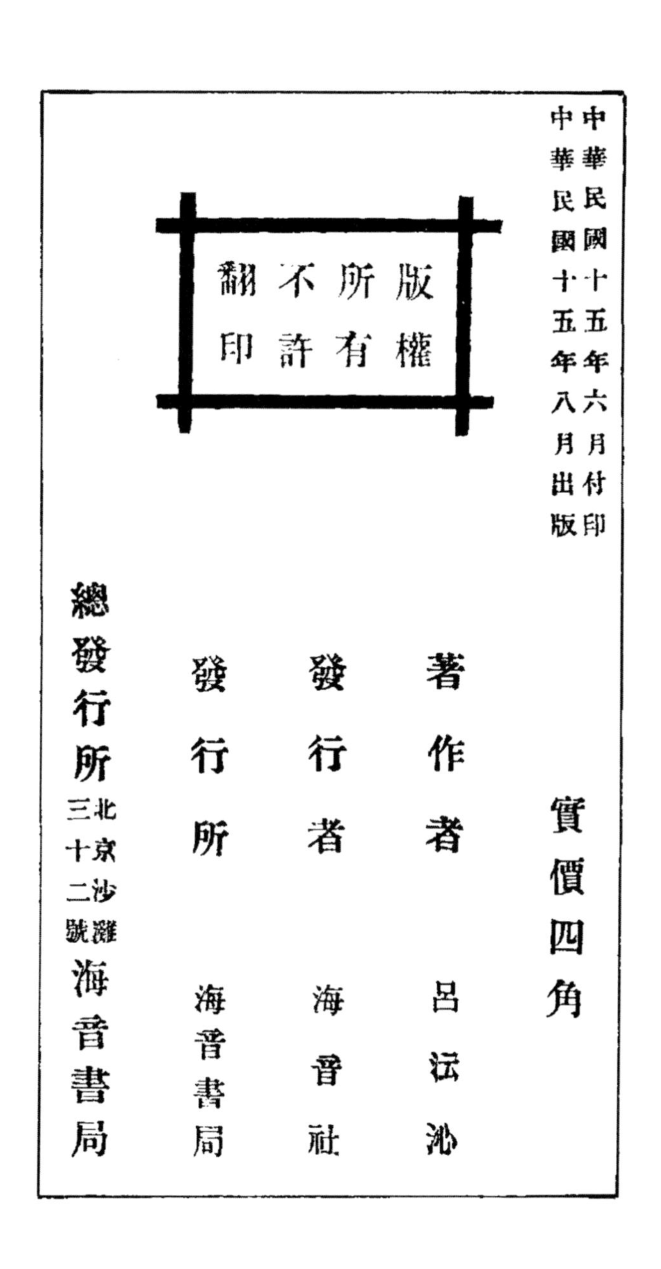
中華民國十五年六月付印
中華民國十五年八月出版

版權所有
不許翻印

實價四角

著作者 呂沄沁
發行者 海音社
發行所 海音書局
總發行所 北京沙灘三十二號 海音書局

春深了

閔之寅 著

閔之寅，江蘇南通人。

群眾圖書公司（上海）一九二六年八月初版。
原書三十二開。

新詩集
春深了
美國「美術館」石像
上海羣衆圖書公司發行

新詩集

春深了

閔之寅作

上海

羣衆圖書公司印行

母校「哥南比亞大學」石像

春深了序

陸侃如

（一） 春深了的作者

春深了是我的朋友閔之寅先生的詩集。我們讀他的詩，須認定他是一個富於情感的人。因爲他的境遇不盡如意，故借詩歌來發洩他的怨憤。我忝爲他的知己，請略述一二，以爲讀者們的幫助。

之寅先德開三先生，本住於冒辟疆的故鄉。因提倡教育，改廟宇爲學校，致攖鄉人之怒，千人以上蜂擁而入，火其居，遂遷居紫琅山之北。時之寅僅三歲。這件事影響於小孩子的腦筋頗深，遂造成他的近於Hysteria的症候。及至婚姻問題發生時，便迫他拋棄了在哥倫比亞大學所習的社會科學，而努力於新詩的創作了。

之寅初與蘇州二女中的 K.M.Y. 女士訂婚，情義頗篤；聽說在他赴美留學前，曾同居了一月，唯不及亂。及之寅因父喪歸國，兩方略有嫌隙，遂至解婚。之寅費

了九牛二虎之力，想法轉圜，而K.女士決絕不允。之寅寫信給我說：

『以我愛Y.之心，Y.乃不諒我一時之誤。』

又說：

『予對於M.Y.之熱情，遇此情形，若再拖延，實有發瘋之險，恐要成神經病。』

又說：

『不想我一腔眞情，得此結果！』

及聞K.女士已與別人結婚，他始絕望，曾寫信給我說：

『嗚呼！人生際遇如此，將來不爲杜甫，不應剁成肉醬乎！』

這種決心，我們很希望他成功。

我所以詳述此事，因爲非此不足以了解這數百首詩。旣不了解，便無從賞鑒他們的文學價值。

(二) 中國小詩略述

陸　　　序　　　(3)

春深了是之賓在詩壇上努力的第一次的成績報告。集中大部分是『小詩』。

『小詩』自古便是中國詩壇上的珍品。古代詩歌中，一句的如呂氏春秋所載的——

『候人猗兮！』

二句的如吳越春秋所載的——

『梧宮新，

吳王愁！』

其餘三四句的更多了。詩經中如盧令，十畝之閒，無衣等等，亦不下數十首。漢代之三候五噫，亦屬此類。這是中國小詩的第一期。

魏晉以後，長江流域發生許多優美的小詩，總名爲『清商曲』：屬於吳聲歌的如：

『啼着曙！

淚落枕將浮，

身沉被流去！』——華山畿。

屬於神弦曲的如：

(4) 春深了

『開門白水，

側近橋梁。

小姑所居，

獨處無郎。』——青溪小姑曲。

屬於西曲的如：

『自從別君來，

不復着綾羅，

畫眉不注口，

施朱當奈何！』——攀揚枝。

這不過就記憶所及，略舉一二，以代表中國小詩的第二期。

這種體裁頗爲當時文人所贊許，六朝人的集子裏頗多這種小詩，而以謝宣城爲最。自此以後，唐代的五七言絕句，便是中國小詩的第三期；詞中的小令便是第四期，曲中的小令便是第五期：這是人所習知的，不必詳細敘述了。

近來頗有人介紹西洋和日本的小詩，國內仿作者甚

多，造成中國小詩的第六期。數年中，小詩的專集也出版了不少。春深了便是其中之一。

（三）　春深了中的小詩上

小詩的特點，不僅在篇幅的較短，尤在其表現的方法。無論是抒情或是寫景，並不把千頭萬緒紛然雜陳，却只表現其中最精采的一點，使讀者只覺得餘意悠然不盡，而不覺其枯窘。這方算小詩的上乘。

之寅的詩旣是『不平之鳴』，故抒情多於寫景。其中也有些『淺入淺出』的，但也有怨而不怒，深得風人之致的，例如：

『且偷出片刻韶光
完成我的樂趣罷。』——紐約小詩之二。
『滿意嗎？
是的。
痛苦嗎？
是的，而且很深呵！』——春深了之八。

還有幾首，似乎暗示他的婚姻問題：

(6) 春深了

『氣候越冷酷，
情意更熱烈呵！』——春深了之四。
『過去韶華在那裏？
快美，酸辛，
多半遺忘了！』——紐約小詩之十七。

這幾首很可當得『深入淺出』的評語。表現並無一些艱澀，而所暗示者甚遠，使人咀嚼不盡。

之寅寫景的詩，亦復清雋可愛。泰山紀遊二十首，是集中較幼稚的作品，然亦有佳者。如；

『雲中，
絕壁，懸崖
不時地
倒掛幾株松樹。』——其十。
『白石的亭，
驟雨般泉一
依傍着，
喧嘩着

籠蓋在陰雨裹。』——其六。

又如：

『滿耳的梧桐聲，

絲絲的雨都綠了。』——梧桐。

『微風吹過，

光明在露濕的葉上閃爍了。——病後之三。

這便是能擬取景色中最重要的一點而表現之，故爲寫景小詩中之上乘。

以上是我讀了之寅的抒情寫景的小詩後的意見，不知讀者們以爲如何。

（四）春深了中的小詩下

然而我所最愛讀的，還不是他的抒情寫景詩，却是他的論詩的小詩。論詩的詩，在舊詩中是很多的，在新詩中却不多覯。春深了中論詩的小詩可算新詩壇上絕無僅有的了。

之寅的意思，以爲這世界本身便是一篇詩，裏邊寫

(8) 春淡了

着月寫着花，寫着山水，寫着愛情，也寫着血和淚。及至詩人寫在筆下，却已非上乘，何況未必能盡量發洩呢？故說：

『最是春天

詩情繁盛了，

人衆裏

誰沒有詩的生活？』——春深了之五。

還有紐約小詩之二十，也是這個意思。但這兩首議論稍嫌抽象，不如左列二首之佳：

綠草高樹之間，

詩的意，

化作輕烟，

在曲梯旁邊

舞呢。』——紐約小詩之十一。

『小兒的生活，

詩的意呵。

青春的生活，

詩的情嗎？

或是音樂的呢？』——春深了之一。

這兩首之中，前一首尤饒妙趣。

之寅第一部詩集便得如許成績，我們覺得他前途希望是很大的。故略述我個人的意見於此，以介紹於讀者之前。

十四年十月，陸侃序於北京。

春　深　了

田　　序

之寅從遠迢迢的寄來他所珍愛的一捲詩稿，而又頻頻的來信囑我做序。他說要我的序文引起他的欣賞人生樂趣之精神，他就能有詩呢！我慚愧沒有這能力。只可見春深了是樂觀的詩，是甜美與趣的詩！

打開春深了一瞧：他那大半一句半句便是一首的款式，彷彿就和時下的詩集不同！牠的字句愈短，那表現出來的悠悠的詩趣更顯得微渺的綿長！我相信，這就是藝術上底工夫了。

譬如：一個富于情感的人孑身跑到千萬里人情風俗大不相同的地方去，當如何的孤寂呵？若偶然碰見活潑可愛的人而又無法親近一下，當如何的苦悶？倘能於此時居然得到那愛慕的人的一些情節，又當如何的喜慰慶幸！春深了的紐約小詩二十九竟有這樣的寫法：

被我看出了——

亂草間走的女孩兒

家住在赫貞江邊，

山脚下，

舊木屋裏。

說得多們簡便，自然而有趣呵！就他那徘徊呆覷而又不便攀談的光景，也好像攝了一張畫片映現我目前了。詩的魄力之偉大如此！

春深了的作者極能受用「自由」社會上一切無形的欄栅略不能爲他所顧忌；他頗能自信，整日裏殷勤的尋求他的快樂。我知道他是這種性格。詩的本質就是情感的表現，所以春深了也自然隱含着他那可欣慕的個性，而他寫來又分外的眞摯，不可多得！

他雖然樂觀，然有時也會起不快之感。所以有這樣的作品：

紐約小詩　十八

好費事呀，

去想尋樂的道理。

六

青春。

無價值地存在着，

無價值地過去了！

其七的却是如此一首：

極可愛的韶光

竟被藝術家留住多少。

他編這春深了大槪就是排除他那不快之感的用意了。

他的思想非常敏銳而細膩。在紐約小詩裏二八，三三，一三，各首更是充分的表現：

二八

柏拉圖底話對呀，

裸體怕什麼？

道德就是衣裳！

三三

誰能說裸體就是淫蕩呢？

誰又能說，

任何人裸體都是美的呢？

春　深　了

一三

晨側公園路上
小弟弟熟睡了，
幼的姊姊和他吻了。

我沒有方法可以證明春深了不是天才的作品，我願他有大大的成功。春深了權當開路的先鋒。盡量欣賞人生的樂趣；打破一切樊籠！春深了便是先鋒，指揮羣衆，陶鎔羣衆，我要看他大大的成功呵。

一四年國慶日，田杰序于京寓。

自　序

在文學世界裏，

我不過做的魯濱生底生活；却還自由自在呵！

一九二三，十，十四。

(16) 春 深 了

目　　錄

什麽是生命

（譯　詩）

武夫叫道：

『生命是火，是雷，

生命是野的；

我已經停止禱告，

遊蕩着好像一個頑童。』

戾性的人譏笑道：

『生命是無價值而可笑的，

生命會變冷了；

我們底心老了，

將沒有一件事等候。』

有情人歎道：

『生命是音樂與魔術，

(2) 春 深 了

生命有翅膀；

生命將愛情，悲慘，親愛，

勇敢，溫柔

充滿人們。』

播　種　者

（譯　　詩）

　　我拿着黎明底精華，
在我手裏，
我將他播在漫漫的昏夜。
　　在那山頂上
現出了清晨底
第一片朦朦朧朧的草芽。

(4) 春 深 了

泰　山　紀　遊

(一)

雨仍舊微微地下，

泰山是看見了——

山頂伸在雲裏。

(二)

快到四點鐘光景，

轎夫指着

山和雲接的地方說：

『那裏是中天門。』

(三)

遠遠地，

一道光明之帶

乃是汶水。

（四）

三面是插入雲中的高山，
一面對着平原，
曲折的迴馬嶺端
放聲地歌呀！

（五）

『天道遁』，
石壁如此訴說。
大壑，高峯；
山上劉的字眞多喲。

峯後
白石的亭，
驟雨般泉——
依傍着
喧嚶着

泰　山　紀　遊　　　　(7)

籠蓋在烟雨裏。

　　亭前
紅欄的板橋，
巍峩的石蹬
高聳在大壑上。

　　石蹬頂上——
一座石牌坊，
隱隱約約
還有一幢房屋。

　　大地呢，
霧氣騰騰地
那裏看見？

(六)

雲中——

絕壁！懸崖！

不時地

倒掛幾株松樹。

山峯都只是青色。

天越走越暗；

風愈刮愈大；

雨越打越急；

路愈高也愈險！

山崖，

每走到眼光底盡頭，

上面仍舊有這樣高。

泰　山　紀　遊　　　　(9)

　　深谷，
雲濛濛的，
也看不見底。

　　風更大，
雨更急，
思想是沒有了。
　　死的沉寂中
只聽見轎夫步聲
——他底濕鞋在滿水的
石磴上走。

　　風和雨大極了！
坐一程轎，走一程，
轎夫底腿顫動了。

　　再遲一會便看不見走了！

朦朧的松影，

很多的白花

俱不暇觀看！

（七）

在這極失望的時候，

忽然，

南天門矗立在眼前！

無限的驚愕和慰安！

（八）

第二天早晨下山——

南天門外

風力底狂大幾乎不能呼吸了！

不斷的山路

從脚下的雲裏

泰　山　紀　遊　　　(II)

伸到頭頂上的雲裏。

　　也不知多少瀑水

從雲中直衝下來！

梧 桐

滿耳梧桐底響聲

絲絲的雨也是綠的呵。

六，十二。

窗　　前

　　四五種花參差錯落地開着，
兩個白蝴蝶上下地飛。
　　許多蝴蝶來了；

　　許多蝴蝶又去了。
　　四五種花參差錯落地開着；
兩個白蝴蝶上下地飛。

六，十二。

(14) 春 深 了

紐約小詩

(一)

先驅者告訴我們說：

『環珮叮噹的詩

現在赤裸裸的了。』

我急忙看去，

好容易看清楚了，

他們如此的美呀！

彷彿誰還說道，

『世界進步了，

紅紅綠綠叮叮噹噹地

披掛了全身

像個什麼？』

(二)

且偷出片刻韶光，

完成我底樂趣罷。

(三)

醫院中，

覺到人生底薄弱了！

(四)

紐約底特色是什麽？

不盡的烟

和不斷的市聲嗎？

(五)

詩呵，

你眞獻醜！

世界底情和美

完全被你融化了！

詩呵，

你眞歡喜！

（六）

青春
無價値地存在着，
無價値地過去了！

（七）

極可愛的韶光
竟被藝術家留住多少！

（八）

霧常時還有害處；
柳絮
一定是增加人生意趣的了。

（九）

是第五六層樓，
在精美小房間內；
纔二十二歲；
從朦朧光裏
看玩花女兒
淡白的畫片。

(十)

雖然不是下雪，
橡葉遮蓋郊原了。

(十一)

綠草高樹之間，
輕烟，
在曲梯旁邊舞呢。

(十二)

紐　約　小　詩　　　　(續)

路轉過來，
石蹬變秘密了。

(十三)

晨側公園路上，
小弟弟熟睡了，
幼的姊姊
和他吻了。

(十四)

秋悄悄地換去夏之綠衣。
沒有驚動人們。
孰知冬已經來脫他底黃衫。

(十五)

哥侖比亞旗下，
粲爛着學術之光。

母校
端坐在無限莊嚴裏。
　　雍穆的音樂聲中安琪兒
頌揚永久光明的她。

（十六）

　　不怕紐約樓高，
只在校旁——
馬路盡頭也只看見青天了。
　　晨側山下的繁華
覺不到眼光中來。

（十七）

　　過去韶華在那裏？
快美酸辛
多半遺忘了！

紐約小詩　(21)

（十八）

好費事呀，

去想尋樂底道理。

十，三

（十九）

何嘗用文字喬飾愛情呢？

怎樣想就是怎樣寫的喲。

十，十一

（二十）

寫出來的詩

最多不過詩底一小部分。

在園外燈下

唱的些詩

何曾能夠寫下？

十，十三

(二十一)

燈光
一定是愛情底朋友。
他來了，
思想被愛籠罩了。

十，十四。

(二十二)

朦朧
是母親底燈光喲。
她在家裏，
我是何等地想她呢！

十，十八。

(二十三)

月呵，
你是精神上的姊姊嗎？

紐　約　小　詩　　　　　(23)

太平洋中，

紐約城上；

從我有生以來；

你寬恕我多少，

照映我多少！

不然，你一定是姊姊底心了！

我感激你們，

幾乎要哭了！

十，二十二。

(二十四)

來到了葛蘭墓前，

秋風這樣地勁呀。

石牆根坐下，

綠草，暖日給我一些慰安。

十，二十六。

(二十五)

朝霧赫貞江，

幾次想來探望了。

十，二十六。

(二十六)

纔十二三歲吧，

跳躍的女兒，

跟着他們，

很快地看完葛蘭墓。

十，二十六。

(二十七)

萬事起來又伏下了！

萬念起了又消了！

人生底滋味

如此地駁雜呀！

十一，二。

(二十八)

柏拉圖底話對呀，
裸體怕什麼？
道德就是衣裳！

十一，二。

(二十九)

被我看出了——
亂草間走的女孩兒，
家住在赫貞江邊，
山脚下，
舊木屋裏。

十一，六。

(三十)

許多的詩
原來在這些地方！
煙雨的今天，
我遇着你們了！
十一，六。

(三十一)

忠厚的小弟弟
坐在姊姊旁邊；
垂暮光線裏
許多小兒歡喜；
這些事兒
引起我自己回憶了。
十一，六。

(三十二)

輕輕地波動着，

清脆極了！

　　女孩兒想到，

呼聲就出來了！

十一，九。

(三十三)

　　誰能說裸體就是淫蕩呢？

　　誰又能說，

任何人裸體都是美的呢？

十一，十。

(三十四)

　　博物館中，

隆準高額的達爾文像

雖然滿面皺紋，

一腮長鬚，

可是最進步的容貌呵。

十一，十。

(三十五)

軟弱中，
病好了；
困苦中，
微笑了！
醫士，感激他呀！
窗外，小孩子仍然吵着；
電車仍然響着！

十一，十四。

(三十六)

厭雜極了，
厭雜極了，
枯索的生活。
欲黃昏了！

紐約小詩 (29)

　　樓窗裏望去——
女孩兒倚門眺望着。
　　　　　　十一，二十八。

(三十七)

　　殷殷地，
是默禱嗎？
　　『忘記呀，
忘記了一切苦恨！
　　牢記呀，
牢記了一切歡喜！』
　　　　　　十二，二。

(三十八)

　　悠揚的音樂
深深演奏，
無意中

解放了人衆底心靈。

十二，七。

春　深　了

(一)

　　小兒底生活
詩的意呵。
　　青春底生活
詩的情嗎，
或是音樂的呢？

一月。

(二)

　　冷的雪
并不管太陽底熱；
太陽又何嘗想融化雪呢？

一月。

(三)

腦海裏的印象
是長久的，
是秘密而珍貴的，
甜蜜而生活的；
何必要像片呢？

一月。

(四)

氣候越冷酷，
情意更熱烈呵。

三，七。

(五)

最是春天
詩情繁盛了，
人衆裏，
誰沒有詩的生活？

春　　深　　了　　　　(33)

三，八。

(六)

春光漸漸深了，

東風裏草青了，

是心情或是感覺

理想中的快樂

事實上却是痛苦；

痛苦因爲春深了。

三，十九。

(七)

心兒

慣體貼情底顫動，

若逢着驚天動地的事，

不太脆弱嗎？

三，十九

(八)

滿意嗎？

是的。

痛苦嗎？

是的，而且很深呵！

三，二十。

(九)1

晨光醒了，

田間去罷。

靜聽！

靜聽！

破曉的天地裏。

三，二十六。

1 題聽天鸛圖。

春　深　了　　(35)

（十）

晨光透過幽暗；
這樣平的生活呀！
享受着罷。

五，十。

（十一）

夜鶯底血
激痛了人心。
作者是殷殷地哭，
我是如何地笑呢？

（十二）

在那忘記的幼時，
平安的冬夜，
但聽得機聲和風聲；
這樣，

以後何止一次呢？

　　陰天底下午，

點燈的黑夜，

二姊說可愛而怕的故事；

雖然在若干年後的回憶裏，

只覺得髫齡復活了，

只覺得可愛而可怕呵！

（十三）

　　不是春天回來，

幾乎忘記快樂。

　　從舊遊隊中

忽地來到；

生命之絃又接上了！

（十四）

　　快樂的人。

春　深　了　(37)

偏偏會覺得痛苦；

可愛的詩歌

常常難免苦調兒呵。

母 校

東風將要吹了，
芝加哥底雪將要融了，
卽使他願意這微微的風兒
從很遠很遠的東方
將第二院底泉聲和海棠花香
帶一些來也是不能夠的！

有時月兒姊姊很願意告訴他們第三院假山上的
高樹如何地戲弄熟睡的桃花，
或者第二院大講堂底新裝是怎樣地華麗，
他又沒有空閒去細聽。

月兒姊姊只有和屋後的花池，池上的尖頂
遊戲去了。

他所能希望的只是
兄弟姊妹們從太平洋蔚藍的胸中平安地渡過來；
沿途，不消說，月兒姊姊會陪伴着，照顧着的。

春　　深　　了　　　　(39)

然後兄弟姊妹可以相見了！

病　後

(一)

雞啼着，
天漸漸地亮了，
異樣的鳥聲
完成了黎明底神祕。

(二)

沉睡的嬰兒呵，
噹噹的鐘聲
給你了什麼甜香之夢呢？

(三)

微風吹過，
光明
在露濕的葉上閃爍了。

病　　　　　　後　　　　　(41)

（四）

無知
是罪過底母親！

（五）

狂風，急雨——
實在沒有力量違反自然呵——
橫蠻地摧殘那可憐的玫瑰！

（六）

錯過的月明之夜，
怎樣可愛的表演呢？
無限的純潔，
無限的優美，
無限的愛底歇呵。

(七)

青年啊，

只要愛國心永久地活着，

永久在正義之路上走着，

我們底國家

終有光明的日子啊！

好　　意

　　黑暗幽遠的路上

血淚狼藉了，

全憑點點星光照耀，

螢火明滅也是旅客底慰安者。

　　青燐

又不時地放出死的光亮。

　　烏雲彌漫了，

狂風急雨沒命地打來。

　　猛獸毒蟲都出來了。

　　可怕的路呵。

一位聰明的先驅者

　　一九二三年八月
約克生和克禮扶輪兩隻郵船一同向美洲進發。
　　二十二日，
她們停在橫濱
同一座碼頭上，
同學們差不多完全往東京遊覽去了。
　　下午，因爲下雨，我們到帝國博物館參觀
，
在那裏
遇見了聰明的先驅者。
　　聰明的先驅者呵，
感謝您開闢了這一條新路，通到無限莊嚴的境
界。
　　康健之神永久
保佑您呀！

中華民國十五年八月出版

全書一冊
定價二角五分

春深了

禁止翻印

著作者　南通閔之寅
發行者　無錫方東亮
印刷者　羣衆圖書公司
出版者　羣衆圖書公司

總發行所　上海羣衆圖書公司

花木蘭文化事業有限公司聲明啓事

此次《民國文學珍稀文獻集成》出版，有賴各位作者家屬大力支持，慨然允贈版權，遂使這巨大的文化工程得以開展。本公司全體同仁在此向各位致以誠摯的謝意！

由於民國作者人數眾多，年代久遠且戰火頻繁，本公司傾全力尋找，遍訪各地，能夠找到的後人，得其親筆授權者，爲數甚寡。更多的情況是，因作者本人下落不明，連版權情況都無從知曉。

因此，本公司鄭重聲明：

此叢書所錄專著，凡有在版權期內而未授權者，作者家屬可與本公司聯繫，本公司願奉送相關贈書 50 冊爲報酬，補簽授權協議。

望家屬看到此通知後與本公司聯繫。聯繫信箱：hml@vip.163.com

花木蘭文化出版社

2021 年秋

花木蘭文化事業有限公司聲明啓事

此次《民國文學珍稀文獻集成》出版，有賴各位作者家屬大力支持，慨然允贈版權，遂使這巨大的文化工程得以開展。本公司全體同仁在此向各位致以誠摯的謝意！

由於民國作者人數眾多，年代久遠且戰火頻繁，本公司傾全力尋找，遍訪各地，能夠找到的後人，得其親筆授權者，爲數甚寡。更多的情況是，因作者本人下落不明，連版權情況都無從知曉。

因此，本公司鄭重聲明：

此叢書所錄專著，凡有在版權期內而未授權者，作者家屬可與本公司聯繫，本公司願奉送相關贈書 50 冊爲報酬，補簽授權協議。

望家屬看到此通知後與本公司聯繫。聯繫信箱：hml@vip.163.com

花木蘭文化出版社

2021 年秋

刊誤表

頁	行	字	誤	正
1	3	16	來	我
2	1	10	離	難
3	2	18	。	？
3	7	1	改	考
3	12	12	能信	能不信
14	11	7	合	和
14	12	6	合	和
15	4	6	虫	呈
16	4	3	合	和
44	7	18	而	兩
92	1		第一次的我們	我們第一次的
92	2		第一次的接觸	接觸